RAPUNZEFA

LUCIANO DAMI

ILUSTRADO POR
MARCOS GARUTI

Copyright © 2018 Hashtag

Todos os direitos reservados. Nenhuma parte desta obra pode ser reproduzida, arquivada ou transmitida, de nenhuma forma ou por nenhum meio, sem a permissão expressa e por escrito da Carochinha.

Impresso no Brasil

EDITORES Diego Rodrigues e Naiara Raggiotti
EQUIPE
ADMINISTRATIVO Arthur Souza e Rose Maliani
ARTE Clarissa Lorencette
COMERCIAL Dhébora Torquato e Diego Maciel
EDITORIAL Dafne Ramos e Karina Mota
MARKETING E COMUNICAÇÃO Catiane Santos e Fernando Mello
REVISÃO Dafne Ramos, Karina Mota, Maurício Katayama e Naiá Diniz

---

Dados Internacionais de Catalogação na Publicação (CIP) de acordo com ISBD
Elaborado por Vagner Rodolfo da Silva - CRB-8/9410

D158r   Dami, Luciano
         Rapunzefa / Luciano Dami ; ilustrado por Marcos Garuti. –
         2. ed. – São Paulo : Carochinha, 2018.
         48 p. : il. ; 20,5 cm x 27,5 cm.
         ISBN: 978-85-93091-02-5

         1. Literatura infantil. 2. Temáticas nordestinas. I. Garuti,
         Marcos. II. Título.
                                                    CDD 028.5
2018-742   CDU 82-93

Índice para catálogo sistemático:
1. Literatura infantil 028.5
2. Literatura infantil 82-93

2ª edição – 2018
ISBN: 978-85-93091-02-5

Um selo da Carochinha Editora
Rua Mirassol 189 Vila Clementino
04044-010 São Paulo SP
11 3476 6616 : 11 3476 6636
www.hashtageditora.com.br
sac@hashtageditora.com.br

Curta a Hashtag no Facebook!
/hashtageditora

RAPUNZEL, RAPUNZEFA

Um conto clássico é apresentado a cada geração com certa frequência. Em cada cultura, o texto se transforma na estrutura, e não se conta sempre o mesmo feito; a cada versão se constrói uma fábula de um jeito.

Com Rapunzel não seria diferente. Ao chegar ao Brasil, a história ganha nova vida. Desprovida dos longos cabelos loiros europeus, a nossa personagem ganha *dreads* volumosos. A bruxa não existe nesta versão da narrativa, temos somente uma feiticeira furtiva. No lugar de castelos, crescem mandacarus dos mais belos. Em vez de um príncipe garboso, ganha espaço um vaqueiro medroso.

Mas não se assuste com toda a mudança aqui colocada – a essência da história será preservada. Não se abandonou a importância dos afetos e da família: é por esse caminho que a narrativa trilha. E, assim, convidamos a todos para conhecer nosso reino de encantamentos, onde podemos ser transformados em calangos ou jumentos. E não se esqueça de que o feitiço mais potente é aquele do amor que brota no coração da gente. Não façam cerimônia, venham a história escutar, e se preparem que Rapunzefa os seus *dreads* vai lançar.

PERSONAGENS

NARRADOR / CHICO LANGO

CORONEL RAIMUNDO PUNÉRIO

CORONELA JOSEFA PUNÉRIO

RAPUNZEFA

FEITICEIRA

CALANGO (FANTOCHE)

VAQUEIRO

O NARRADOR (CHICO LANGO) ENTRA EM CENA COM UM PANDEIRO
COM FITAS COLORIDAS NA MÃO. ELE USA O INSTRUMENTO
PARA MARCAR SUA FALA.

CHICO LANGO: Dá licença, minha gente.
Vou chegando bem ligeiro.
Me chamo Chico Lango
e trago na mão um pandeiro.
Conto a história de um povo
arretado da peste,
que vivia num reino distante
chamado Nordeste.
Nessa terra abençoada,
vivia um casal que tinha um império:
o Coronel Raimundo e sua esposa amada,
Coronela Josefa Punério.
Apesar de terem terras
e riquezas de montão,
faltava a eles um filho
para alegrar o coração.

O NARRADOR SAI DE CENA. ENTRAM EM CENA CORONEL RAIMUNDO PUNÉRIO E CORONELA JOSEFA PUNÉRIO CANTANDO:

CORONEL RAIMUNDO PUNÉRIO:
Como posso eu ser rico
Sem crescer minha família?
Como posso eu ser rico
Sem crescer minha família?

Feliz eu não serei
Feliz eu não serei
Sem ter uma, sem ter uma
Sem ter uma ou duas filhas
Sem ter uma, sem ter uma
Sem ter uma ou duas filhas

CORONELA JOSEFA PUNÉRIO:
Nessa vila as mulheres
*De **galhofa** me cobriam*
Nessa vila as mulheres
De galhofa me cobriam

E eu fico aqui sonhando
E eu fico aqui sonhando
Em ter uma, em ter uma
Em ter uma ou duas filhas
Em ter uma, em ter uma
Em ter uma ou duas filhas

CORONEL RAIMUNDO PUNÉRIO:
Ah, esposa amada,
que venero com paixão,
será que um dia teremos
um filho para herdar o nosso chão?

CORONELA JOSEFA PUNÉRIO:
Coronel, meu marido,
eu também não vejo a hora
de ver uma criança correndo
por esse sertão afora.
Já nos casamos
há um tempo danado,
e não surge nem um filho,
nem sequer um afilhado.

**CORONEL
RAIMUNDO PUNÉRIO:**
Devemos estar fazendo
alguma coisa bem errada,
pois só nós não temos filhos
nessa terra ensolarada.
Montei até uma **arapuca**,
para pegar uma cegonha,
quero cobrar o nosso filho
desse pássaro sem-vergonha.

**CORONELA
JOSEFA PUNÉRIO:**
(RINDO.)
Homem, deixe de besteira,
não está batendo bem?
Não sabe que cegonha não dá filhos,
nem para nós nem para ninguém?

**CORONEL
RAIMUNDO PUNÉRIO:**
Se não é a cegonha que traz a criança,
então qual é a nossa esperança?
Vai me dizer que acredita
nas conversas dessa gente,
que diz que tem criança
que nasce assim de repente?
Que as meninas nascem
do pé de **macaxeira**,
brotam bonitas e lustrosas
feito folha de palmeira.
E os meninos nascem
do pé de **jerimum**.
Eu, que cavalgo por essas roças,
até agora não vi brotar nenhum.

**CORONELA
JOSEFA PUNÉRIO:**
Ai, meu Coronel,
quanta besteira tu estás falando.
As crianças só nascem quando as mães
acabam engravidando.
As crianças começam a surgir
na barriga das mãezinhas
quando os pais põem lá dentro algumas
sementinhas.

**CORONEL
RAIMUNDO PUNÉRIO:**
Pois então, mulher,
me explique como eu procedo,
pois quanto antes você explicar
temos nosso filho mais cedo.

O CASAL VAI SAINDO DE CENA ENQUANTO O NARRADOR (CHICO LANGO) ENTRA EM CENA.

CHICO LANGO: E, com a receita passada
de forma bem certinha,
a barriga de Josefa
cresceu bem depressinha.
O Coronel ficou feliz,
era só sorriso e alegria.
Não via a hora de chegar o parto,
esperava ansiosamente por esse dia.
O casal era só sorrisos
e vivia com a dentadura aparecendo.
Mas, assim como existe gente feliz no mundo,
tem sempre alguém se remoendo.

ENTRA A FEITICEIRA E SAI O NARRADOR.

FEITICEIRA: (DE MANEIRA MEIGA E TRISTE.)
Ai, que triste sina
desta velha Feiticeira,
vivo sempre isolada
e só a solidão é minha companheira.
Sei que sempre faço maldades,
uma aqui e outra acolá...
Mas isso é motivo
para ninguém vir me visitar?
Queria tanto uma família
para preencher meu coração,
talvez apenas uma filha
para me trazer emoção.
(MUDA A FALA PARA UM TOM MAIS SOMBRIO.)
Mas se a vida não me deu
uma família tão sonhada,
vou roubar uma na paulada.
(RISOS.)
Basta encontrar um casal
com um bebezinho
e roubar a criança
aqui para o meu colinho.
(ELA PEGA SEU XALE, O ENROLA COMO
UMA MANTA DE BEBÊ E COMEÇA A CANTAR.)

FEITICEIRA:	*Vem, meu neném,* *Que eu vou te enfeitiçar.* *Seu pai vai virar sapo,* *Sua mãe vou congelar.* *Vou te trancar* *Bem acima do telhado.* *Pra você, meu bebezinho,* *Ficar bem vigiado.*

A FEITICEIRA SAI DE CENA, E ENTRAM EM CENA O CORONEL RAIMUNDO PUNÉRIO E A CORONELA JOSEFA PUNÉRIO. A CORONELA CARREGA UMA BARRIGA BEM GRANDE DA GRAVIDEZ.

CORONELA JOSEFA PUNÉRIO:	Meu Coronel querido, meu corpo está todo dolorido. É um peso essa barriga da gravidez, e não vejo a hora de nossa filha nascer de vez.
CORONEL RAIMUNDO PUNÉRIO:	(AJUDANDO A ESPOSA A SE SENTAR.) Como você diz que é uma menina que está para nascer? Pode muito bem ser um garoto que está na sua barriga a crescer.
CORONELA JOSEFA PUNÉRIO:	Meu marido, isso não é o que importa, nascendo com saúde é o que me conforta.
CORONEL RAIMUNDO PUNÉRIO:	Tem razão, minha querida, saúde é o que a criança deve ter. Mas, para que isso aconteça, muito bem você deve comer. Quer uma torta de capim ou uma pipoca de macaxeira? Que tal um **calango** assado na folha de bananeira?

11

CORONELA JOSEFA PUNÉRIO:	(ENJOADA.) Está doido, homem? Com este cardápio esquisito, vai me oferecer de sobremesa um pudim de cabrito?
CORONEL RAIMUNDO PUNÉRIO:	Esquisita é essa sua postura de gestante. Você não tem nenhum desejo diferente? Já era para querer comer, neste instante, de pedra até serpente.
CORONELA JOSEFA PUNÉRIO:	Já que você está falando assim, tenho um pequeno desejinho... Quero comer uma farofa daquele **mandacaru** vermelhinho.
CORONEL RAIMUNDO PUNÉRIO:	(ASSUSTADO.) Mulher, não me fale tamanha besteira! Você não sabe que mandacaru vermelho só nasce no quintal da Feiticeira?
CORONELA JOSEFA PUNÉRIO:	Mas foi você que veio com essa história de vontade. Agora se eu não comer o mandacaru vai ser uma calamidade. Nunca ouviu falar que da mãe que não tem o desejo atendido acaba nascendo menino com a cara do desejo parecido? Imagine nosso bebê, vermelho e todo espinhento, ele vai assustar os vizinhos, será grande nosso tormento.
CORONEL RAIMUNDO PUNÉRIO:	Minha Nossa Senhora da Anunciação! Tu sabes que a Feiticeira tem uma fama do cão. Se me pega roubando o mandacaru vermelho de seu jardim, vai acabar lançando uma maldição, um feitiço sobre mim.
CORONELA JOSEFA PUNÉRIO:	Deixe de ser bobo, meu marido Coronel. Não vê que essa história de Feiticeira é conversa do **povaréu**?

CORONEL RAIMUNDO PUNÉRIO:	Mas e se essa história for um pouquinho verdadeira? Vou pegar o mandacaru e encontro a Feiticeira! Ela lança uma mandinga na minha direção e viro um calango correndo no sertão.
CORONELA JOSEFA PUNÉRIO:	Deixe de ser frouxo! Você não é um Coronel? Pegue logo aquele mandacaru para fazer o meu **farnel**.
CORONEL RAIMUNDO PUNÉRIO:	Mas, minha flor, vai jogar ao perigo o seu amor?
CORONELA JOSEFA PUNÉRIO:	Mas, meu amor, que perigo você está vendo? Lá mora apenas uma senhorinha, não uma feiticeira, estou dizendo!
CORONEL RAIMUNDO PUNÉRIO:	(ESTUFANDO O PEITO.) Já que você fala com tanta convicção, em busca do mandacaru vai aqui o seu maridão.
CORONELA JOSEFA PUNÉRIO:	Isso, meu velho, traga o meu mandacaru, mas não deixe a Feiticeira te ver ou vai virar um **sururu**.
CORONEL RAIMUNDO PUNÉRIO:	Mas tu não disseste que era tudo asneira, que a tal mulher não era feiticeira?
CORONELA JOSEFA PUNÉRIO:	Estou brincando, seu bobão, só queria ver sua coragem escorrendo pelo chão.
CORONEL RAIMUNDO PUNÉRIO:	Coragem eu tenho de monte, fique atenta observando. Vou buscar sua **prenda**, e, se bobear, uma feiticeira acabo caçando.

NESSE MESMO INSTANTE, A CORONELA DEIXA CAIR UM OBJETO, FAZENDO O CORONEL SE ASSUSTAR. APÓS SE ACALMAR DO SUSTO, ELE FAZ UMA POSE E CAMINHA FIRME EM DIREÇÃO À CASA DA FEITICEIRA. A CORONELA SAI DE CENA DANDO RISADINHAS.

JÁ NO QUINTAL DA FEITICEIRA, O CORONEL VOLTA A ANDAR CAUTELOSO, DEMONSTRANDO QUE ESTÁ COM MEDO. A FEITICEIRA ENTRA EM CENA E NÃO O VÊ. OS DOIS CAMINHAM PELO PALCO, MAS UM NÃO NOTA A PRESENÇA DO OUTRO. O CORONEL VAI ATÉ O MANDACARU VERMELHO E RETIRA UMA PEQUENA PARTE DA PLANTA. O CORONEL E A FEITICEIRA CANTAM:

CORONEL RAIMUNDO PUNÉRIO:
*Eu chego mansinho,
Não vão nem me notar.
Saio quietinho pra não incomodar.
E eu vou já, já, já.
Pé ante pé, pé, pé.
Já vou sair, sair.
Eu já vou já, já, já.*

FEITICEIRA:
*Aqui no meu quintal
Jamais ninguém entrou.
Só um **abestadinho**,
Que calango se tornou.
Virou sem dó, dó, dó.
Calango lá, lá, lá.
Virou siri, si, si.
Virou sem dó, dó, dó.*

O CORONEL SAI ANDANDO DE COSTAS E ESBARRA NA FEITICEIRA, QUE TAMBÉM ESTÁ DE COSTAS PARA ELE, MEXENDO EM OUTRAS PLANTAS. OS DOIS SE ASSUSTAM, GRITAM E CORREM EM DIREÇÕES OPOSTAS. DEPOIS, ELES SE OLHAM E VOLTAM A GRITAR.

FEITICEIRA: Está fazendo o que
aqui em meu jardim?
Está roubando minhas plantas,
seu moço **chinfrim**?

CORONEL
RAIMUNDO PUNÉRIO: De jeito nenhum, dona Fe...
(PERCEBE QUE IRIA CHAMÁ-LA DE FEITICEIRA E RECOMEÇA.)
...feliz senhora.
Só estava pegando um atalho
aqui por onde você mora.

FEITICEIRA: Resolveu cortar caminho
pelo meu pomar?
E essa planta que tem na mão,
não a está tentando roubar?

CORONEL
RAIMUNDO PUNÉRIO: Isso é só um mandacaru espinhento
que se prendeu no meu **embornal**.
Não vê minha cara de dor,
que estou passando mal?

FEITICEIRA: Então me deixe tirar os espinhos
e acabar com seu sofrimento.
Ou prefere contar a verdade
antes que o transforme em um jumento?

CORONEL
RAIMUNDO PUNÉRIO: (ASSUSTADO, MAS TENTANDO DISFARÇAR.)
Me transformar em jumento
é uma coisa **escabrosa**.
Só Feiticeira faz essas coisas
de forma horrorosa.
Mas a senhora de bruxa
ou feiticeira não tem nada.
É uma flor de formosura,
uma mulher refinada.

FEITICEIRA: Assim o moço me deixa vermelha,
como esse mandacaru aí grudado.
Vou achar que está querendo
ser meu novo namorado!

CORONEL RAIMUNDO PUNÉRIO:	Seria uma grande felicidade virar seu namorado. Mas não posso, minha flor, pois sou um homem casado. (RESPIRANDO ALIVIADO.)
FEITICEIRA:	Então saia de minha terra! E em mim você não rela! Pois, apesar da idade, sou uma bela **donzela**. (RI TENTANDO SER GRACIOSA, MAS SE ENGASGA.)
CORONEL RAIMUNDO PUNÉRIO:	São Brás, desengasga a moça direitinho... E eu já vou pegando meu rumo, trilhando meu caminho.

O CORONEL VAI SAINDO, ENQUANTO A FEITICEIRA TOSSE LOUCAMENTE.

FEITICEIRA:	Vai me deixar aqui, colocando o peito fora? E, além de tudo, levando meu mandacaru embora?
CORONEL RAIMUNDO PUNÉRIO:	Tenho pressa e do mandacaru levo um pedacinho, só para minha esposa fazer um chazinho.
FEITICEIRA:	Planta daqui ninguém leva, meu querido companheiro, nem de graça, nem roubando, nem com muito dinheiro.
CORONEL RAIMUNDO PUNÉRIO:	Mas, minha senhora, pela plantinha não seja tão ávida, é só um agradinho para minha esposa grávida.
FEITICEIRA:	(INTERESSADA.) Mas, se todo esse empenho eu vejo, acredito que a esposa grávida tem um desejo.

CORONEL RAIMUNDO PUNÉRIO:	Da senhora não consigo esconder a verdade. Por favor, me dê a plantinha por caridade.
FEITICEIRA:	Em lhe ajudar mal nenhum eu vejo. Mas, em troca, terá que atender ao meu desejo.
CORONEL RAIMUNDO PUNÉRIO:	É só o desejo pedir, para eu ver se posso cumprir.
FEITICEIRA:	Só pedirei no futuro uma coisa que pode me dar. Essa é minha **paga** por hoje lhe ajudar.
CORONEL RAIMUNDO PUNÉRIO:	Mas como posso prometer algo que não sei o que é? E se pede minha alma, ou vem pedir o meu pé?
FEITICEIRA:	Achou que eu era Feiticeira, no início do nosso bate-papo. Pois você estava certo! E acho que vou transformá-lo num sapo.
CORONEL RAIMUNDO PUNÉRIO:	(TREMENDO.) Mas a senhora é tão faceira, não pode ser verdade que é uma feiticeira.
FEITICEIRA:	Mas sou e não tenho vergonha de minha profissão. Agora, vai aceitar minha proposta ou não?
CORONEL RAIMUNDO PUNÉRIO:	Mas, se não sei o que a senhora vai desejar, como saberei se vou poder pagar?
FEITICEIRA:	Não vou querer sua terra e nem dinheiro nenhum, não quero alma e nem plantação de jerimum. Vou querer uma coisa pequena, com a qual não se pode ganhar dinheiro ou ouro, nada que diminua do seu cofre seu tesouro.

CORONEL RAIMUNDO PUNÉRIO:	Bom, já que é coisa pouca que terei de pagar, podemos nosso trato agora firmar.
FEITICEIRA:	Mas, para nosso papo não ficar só no trato, tome logo e assine este contrato.

ELA RETIRA UM CONTRATO E UMA CANETA DE DENTRO DA ROUPA.

CORONEL RAIMUNDO PUNÉRIO:	Só pode ser Feiticeira para ter contrato preparado. Ou dentro desse vestido mora um advogado?
FEITICEIRA:	Deixe de prosa, seu moço! Assine na linha pontilhada, e assim nossa parceria está firmada.
CORONEL RAIMUNDO PUNÉRIO:	Posso assinar e ir embora levando o mandacaru, e não vou ser transformado em sapo, jegue, calango ou urubu?
FEITICEIRA:	Juro pela verruga do meu nariz, siga seu caminho e viva feliz. Cobro meu desejo quando a hora chegar. E fique tranquilo que, cumprindo sua parte, em bicho não vou lhe transformar.

ELE ASSINA O CONTRATO, E A FEITICEIRA SAI GARGALHANDO.
O CORONEL VOLTA PARA CASA E É RECEBIDO PELA MULHER.

**CORONEL
RAIMUNDO PUNÉRIO:** Aqui está, minha querida,
a planta do seu desejo.
Mas, antes de se fartar,
dê cá um beijo.

**CORONELA
JOSEFA PUNÉRIO:** É claro que dou, meu Coronel corajoso,
mas você está branco, assustado, todo manhoso.
Aconteceu algo que não quer me contar?
Ande, fale, você não vai me assustar.

**CORONEL
RAIMUNDO PUNÉRIO:** Foi só o sol que me deixou **jururu**.
Agora tome, vá preparar seu mandacaru.

O CASAL VAI SAINDO DE CENA, ENQUANTO O NARRADOR
(CHICO LANGO) ENTRA EM CENA.

CHICO LANGO: Sem saber do contrato firmado,
a esposa continuou
com a gravidez em bom estado.
Quando a primavera
anunciou sua chegada,
o mandacaru vermelho
floresceu na madrugada.
Nasceu uma bela e formosa menina,
que não fazia ideia de sua sina.
O casal não tinha mais como se alegrar,
só faltava um nome para a menina batizar.

SAI O NARRADOR E ENTRA EM CENA O CASAL. A MÃE ESTÁ
SEGURANDO A BEBÊ.

CORONELA JOSEFA PUNÉRIO: Meu marido plantou bem a sementinha,
olha como nossa filha nasceu bonitinha.

CORONEL RAIMUNDO PUNÉRIO: Bonita é pouco para tamanha beleza,
nossa filha mais parece é uma princesa.
E, como toda princesa,
precisa de um nome gracioso,
para que no futuro
tenha um destino brilhoso.

CORONELA JOSEFA PUNÉRIO: Sebastiana é um nome **arribado**.
Está escolhido.
Vamos marcar o batizado.

CORONEL RAIMUNDO PUNÉRIO: Está maluca, mulher?
Com esse nome comum?
Batiza logo a menina
com o nome "jerimum".

CORONELA JOSEFA PUNÉRIO: Se o nome que escolhi não é formoso,
que nome sugere o Coronel **garboso**?

CORONEL RAIMUNDO PUNÉRIO: Tem que ser nome inventado,
para não ter outro igual em todo o estado.
Podemos começar com o "RA",
de Raimundo,
nome que em minha família
vem lá do fundo.
Com o "RA", de Raimundo,
juntamos o "PUN", de Punério,
que é nosso sobrenome
e que marca nosso império.

CORONELA JOSEFA PUNÉRIO: "RAPUN" é simplesinho demais
e corre o risco de confundirem
com nome de rapaz.

CORONEL RAIMUNDO PUNÉRIO: Mas, por fim, podemos juntar com "ZEFA",
o fim do seu nome, minha amada.
Josefa, mãe de Rapunzefa,
a nossa filha tão sonhada.

CORONELA	(LEVANTANDO A BEBÊ.)
JOSEFA PUNÉRIO:	Rapunzefa será o nome de batismo
	de nossa amada criança.
	Ela que encheu nosso coração
	de alegria e esperança.

OUVE-SE UMA GARGALHADA E A FEITICEIRA ENTRA EM CENA.
A CORONELA ABRAÇA A FILHA, E O CORONEL SE DIRIGE À FEITICEIRA.

CORONEL	Alto lá, minha senhora!
RAIMUNDO PUNÉRIO:	Aonde pensa estar indo?
	Pois este é o nosso lar,
	e a senhora o está invadindo.
FEITICEIRA:	Já que está falando de invasão,
	venho cobrar uma dívida
	de um certo ladrão.
CORONELA	Minha Nossa Senhora!
JOSEFA PUNÉRIO:	Tem ladrão vivendo aqui no sertão agora?
FEITICEIRA:	Um ladrão que a senhora
	conhece de longa data, pelo que vejo.
	Ele até roubou um mandacaru
	para matar o seu desejo.
CORONELA	É por isso, Coronel, que você estava tão jururu?
JOSEFA PUNÉRIO:	Naquele dia você roubou aquele mandacaru?
CORONEL	(ACANHADO.)
RAIMUNDO PUNÉRIO:	Roubei e não me arrependo
	de minha empreitada.
	Aplaquei o seu desejo
	e nossa filha está tão encorpada.
	Nasceu tão bela e faceira,
	graças ao mandacaru
	que roubei da Feiticeira.
CORONELA	Pois roubo não admito,
JOSEFA PUNÉRIO:	meu querido Coronel.
	Vá e pague à senhora
	com um pouco de ouro do seu farnel.

FEITICEIRA:	De ouro eu não careço, mas o roubo eu vou cobrar. Não vou lhes tirar riqueza, só uma coisa pequena irei levar.
CORONEL RAIMUNDO PUNÉRIO:	Pois cobre sua dívida bem ligeirinho para acertarmos tudo e seguir nosso caminho.
FEITICEIRA:	Pois se é ligeireza que quer, vou ao ponto como uma bala. Vou levar essa menina que sua mulher embala.
CORONELA JOSEFA PUNÉRIO:	O que é isso, senhora? Parece que enlouqueceu! De jeito nenhum nesse mundo você vai levar um filho meu.
FEITICEIRA:	(RETIRANDO O CONTRATO DO VESTIDO.) Mas com seu marido eu tenho um contrato assinado, com tudo no riscado da lei. Se não cumprirem sua parte, meu jeito mágico darei. Se a menina não quiserem me dar, vocês em algum animal vou transformar.
CORONEL RAIMUNDO PUNÉRIO:	(BRAVO.) Sua Feiticeira danada, me embromou com sua conversa fiada. Mas minha filha não vai levar para lugar nenhum, mesmo que me transforme em um jerimum.
FEITICEIRA:	De jerimum, no momento, não estou precisada. Vou transformar os dois em um animal para carregar carga pesada.

A FEITICEIRA PERSEGUE OS DOIS, QUE SAEM DE CENA. DA COXIA, OUVIMOS O TEXTO FINAL DA TRANSFORMAÇÃO MÁGICA. (PODE-SE USAR TEATRO DE SOMBRAS PARA ILUSTRAR A TRANSFORMAÇÃO DO CASAL EM JUMENTOS.)

FEITICEIRA: (DA COXIA.)
Esse casal que o contrato
assinado não quer honrar,
em um casal de jumentos
vou transformar.

A FEITICEIRA ENTRA EM CENA COM UM PAR DE JUMENTOS CENOGRÁFICOS (ESTILO BUMBA MEU BOI). ELA ESTÁ MONTADA EM UM DELES, ENQUANTO SEGURA A CRIANÇA NO COLO, E PUXA O OUTRO, QUE TEM RODINHAS.

FEITICEIRA: Ai, que felicidade sinto
em meu coração,
finalmente tenho uma filha
para aplacar a solidão.
E ainda ganhei um par de jumentos
que vão render uma boa **bolada.**
Vendo os dois mais tarde
na feira da encruzilhada.
(GARGALHA E SAI DE CENA.)

O NARRADOR CHICO LANGO ENTRA EM CENA.

CHICO LANGO: E o tempo passou ligeiro
por toda aquela paragem.
E Rapunzefa cresceu enganada
sobre sua linhagem.
Pensava ser filha da malvada Feiticeira,
que para ela era uma boa mãe,
uma companheira.
E, para que a verdade nunca fosse
contada à nossa heroína,
a Feiticeira a colocou em
uma torre alta como uma colina.
E, para que Rapunzefa
não se sentisse aprisionada,
a Feiticeira lhe dizia que ela
não estava encarcerada.
(IMITANDO A VOZ DA FEITICEIRA.)
Isso é para sua proteção,
minha querida filha,
no mundo a maldade
nos cerca como a uma ilha.
(O NARRADOR CONTINUA.)
A torre não tinha porta para entrada,
para chegar ao seu topo
era necessária uma escalada.
E, para tão alto subir,
não se usava corda ou escada,
eram os longos cabelos de Rapunzefa
que ajudavam na jornada.

RAPUNZEFA APARECE NA TORRE COM UM GRANDE TURBANTE
ENVOLVENDO SEUS CABELOS. A FEITICEIRA SURGE NA PARTE
DE BAIXO E SE DIRIGE A ELA.

FEITICEIRA: Filha minha que está no alto em segurança,
ajude sua mãe a subir, me jogue sua trança!

RAPUNZEFA: Minha mãe, eu já lhe disse
que não tenho o que me pede,
em minha cabeça não há trança,
só há longos e belos *dreads*.

RAPUNZEFA DESCOBRE OS CABELOS E MOSTRA O PENTEADO RASTAFÁRI. ENTRA UM PEQUENO TOQUE DE *REGGAE* NA SONOPLASTIA.

FEITICEIRA: Ainda não me acostumei
com sua pinta modernosa,
então me jogue os seus *dreads*
e deixe de tanta prosa.

RAPUNZEFA JOGA OS *DREADS* E A FEITICEIRA SOBE ATÉ A TORRE POR MEIO DELES.

RAPUNZEFA: Minha mãe, por que fica
longe tanto tempo?
Fico aqui sem nada para fazer,
quase me **apoquento**.

FEITICEIRA: Tenho negócios a resolver,
questões para acompanhar.
Se eu só aqui viver,
dinheiro não iremos ganhar.

RAPUNZEFA: Então me leve com você
nas empreitadas,
fazemos companhia uma à outra
durante as jornadas.

FEITICEIRA: O mundo é um lugar perigoso
para uma moça tão bela.
Qualquer um enganaria fácil
uma moça tão **singela**.

RAPUNZEFA: Mas eu não sou tão boba
para me deixar enganar.

FEITICEIRA: Mas em sua mãe deve confiar.

ENTRA EM CENA UM VAQUEIRO MONTADO EM UM JUMENTO E PUXANDO OUTRO (OS MESMOS JUMENTOS CÊNICOS EM QUE OS PAIS DE RAPUNZEFA FORAM TRANSFORMADOS).

VAQUEIRO: Sou um vaqueiro que vive aqui
por essas paragens.
Procuro um amor
em cada uma das minhas viagens.
Procuro uma moça que valorize
um homem trabalhador,
mas que não seja muito exigente,
uma mulher que queira dar seu amor
a um homem que não é muito valente.
Sou um pouquinho covarde,
e não me envergonho disso,
essa é a realidade.
No mundo todos têm
seus defeitos e virtudes,
mas o que realmente molda o homem
são as suas atitudes.

O VAQUEIRO VÊ RAPUNZEFA E A FEITICEIRA, SE ESCONDE EM CENA
E FICA OBSERVANDO O DIÁLOGO DAS DUAS.

VAQUEIRO: E olhe só se não é aquela velha senhora
que estes jumentos há alguns anos me vendeu.
Paguei neles um bom preço,
mas o investimento sempre valeu.
Só depois da compra efetuada,
me disseram que a mulher
é uma feiticeira amaldiçoada.
Minha alma chega a ficar gelada de medo,
vou sair daqui bem cedo.
Mas quem será aquela moça,
de beleza insuperável?
Meu coração por ela dispara,
sinto um amor crescente, inigualável.
Meu coração palpita,
mas meu medo com isso conflita.
Se a Feiticeira me pega cortejando sua filha,
me lança um feitiço e me humilha.
Dizem até que esses jumentos que dela comprei,
foram transformados de homens em jumentos,
é o que sei...

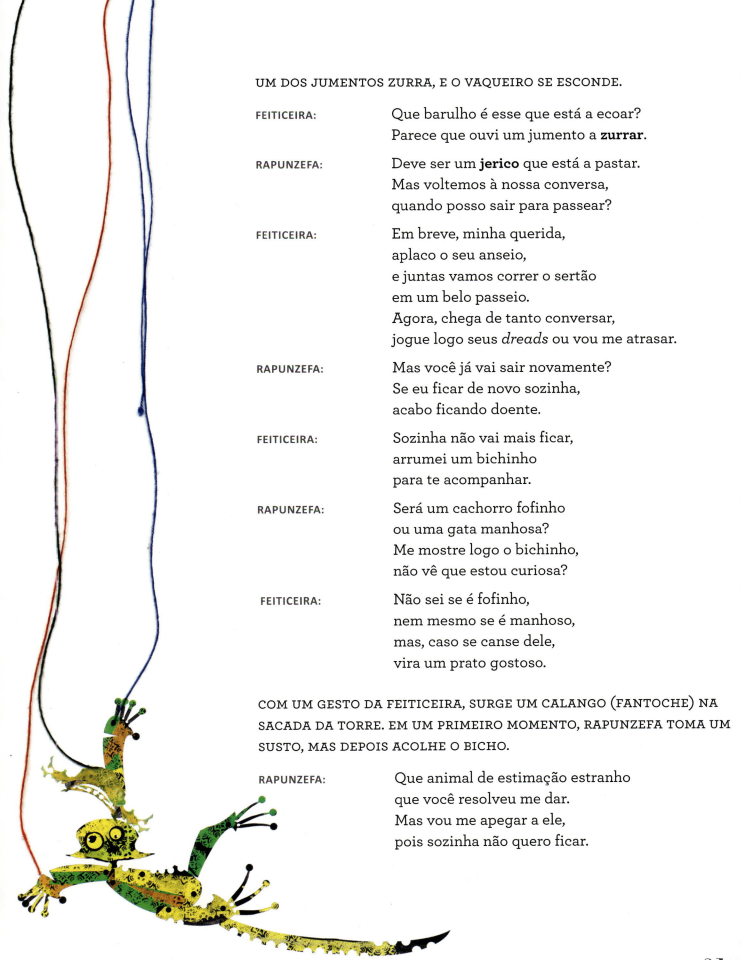

UM DOS JUMENTOS ZURRA, E O VAQUEIRO SE ESCONDE.

FEITICEIRA: Que barulho é esse que está a ecoar?
Parece que ouvi um jumento a **zurrar**.

RAPUNZEFA: Deve ser um **jerico** que está a pastar.
Mas voltemos à nossa conversa,
quando posso sair para passear?

FEITICEIRA: Em breve, minha querida,
aplaco o seu anseio,
e juntas vamos correr o sertão
em um belo passeio.
Agora, chega de tanto conversar,
jogue logo seus *dreads* ou vou me atrasar.

RAPUNZEFA: Mas você já vai sair novamente?
Se eu ficar de novo sozinha,
acabo ficando doente.

FEITICEIRA: Sozinha não vai mais ficar,
arrumei um bichinho
para te acompanhar.

RAPUNZEFA: Será um cachorro fofinho
ou uma gata manhosa?
Me mostre logo o bichinho,
não vê que estou curiosa?

FEITICEIRA: Não sei se é fofinho,
nem mesmo se é manhoso,
mas, caso se canse dele,
vira um prato gostoso.

COM UM GESTO DA FEITICEIRA, SURGE UM CALANGO (FANTOCHE) NA SACADA DA TORRE. EM UM PRIMEIRO MOMENTO, RAPUNZEFA TOMA UM SUSTO, MAS DEPOIS ACOLHE O BICHO.

RAPUNZEFA: Que animal de estimação estranho
que você resolveu me dar.
Mas vou me apegar a ele,
pois sozinha não quero ficar.

FEITICEIRA: Rapunzefa, agora que você está acompanhada
e nada mais me pede,
tenho um compromisso,
jogue logo seus *dreads*.

A FEITICEIRA DESCE PELOS *DREADS* E AVISA A RAPUNZEFA.

FEITICEIRA: E não se esqueça
de todo cuidado tomar,
e se lembre de que seus *dreads*
só a mim deve jogar.

RAPUNZEFA: Não se preocupe, mamãe querida,
só jogo os *dreads* para você
e a ninguém mais nessa vida.

A FEITICEIRA SAI DE CENA E VEMOS O VAQUEIRO OBSERVANDO RAPUNZEFA, QUE CONVERSA COM SEU CALANGO.

RAPUNZEFA: Essa minha mãe,
que teima em me proteger,
acha que sou criança,
que algo pode me acontecer.
Ela não vê que estou crescida e criada,
me trata como uma estranha,
parece que sou abobada.
De vez em quando,
acho que nasci de uma família diferente,
e essa minha mãe parece
não ser minha parente.
Eu queria mesmo era conhecer
um rapaz elegante,
não precisa ser forte nem corajoso,
mas que seja bem-falante.

UM DOS JUMENTOS ZURRA.

RAPUNZEFA: Quem está aí? Apareça por caridade
e converse um pouco comigo
sem a menor maldade.

O VAQUEIRO TENTA SE ESCONDER DE RAPUNZEFA, MAS OS JUMENTOS O PUXAM E FAZEM COM QUE SE REVELE.

VAQUEIRO: Seus jumentos loucos da cabeça,
assim vão fazer com que eu apareça.

RAPUNZEFA: (FALANDO PARA O CALANGO.)
Mas olhe que é um moço
bonito por demais.
Devo estar sonhando,
ou então enlouqueci ainda mais.
(FALANDO PARA O VAQUEIRO.)
Não tenha medo, seu moço.
Pode mais perto chegar,
passo a vida sozinha,
careço de conversar.

VAQUEIRO: Mas pode gerar **falatório**
para uma moça donzela
ficar de conversa
com um rapaz na janela.

RAPUNZEFA: E quem vai fazer conversa
nesses confins abandonados?
Não vê que não tenho
vizinho nenhum por esses lados?

VAQUEIRO: E a sua família pode
da minha presença desgostar,
achando que da moça
quero me aproveitar.

RAPUNZEFA: A única família que tenho
é minha mãezinha,
que foi para a cidade,
saiu agorinha.
Vejo que o moço
é respeitoso e direito,
não parece ser homem
que esconda algum defeito.

VAQUEIRO: De fato, trago bondade no peito,
pois assim fui criado,
para tratar as moças com todo respeito
e sempre com muito cuidado.
Mas desculpe, isso não é jeito de tratá-la,
nem mesmo sei sua graça,
como devo chamá-la?

RAPUNZEFA: Sou Rapunzefa,
a moça de longos *dreads* no cabelo.
Agora me diga seu nome
para que eu possa conhecê-lo.

VAQUEIRO: Sou um vaqueiro,
e por esse nome sou tratado.
Vivo a correr por este mundo,
viajando por todo lado.

RAPUNZEFA: Conhecer este mundo
é um sonho que trago no coração.
Quem sabe não viajamos juntos
por todo esse **rincão**?

VAQUEIRO: Sua mãe iria nos buscar mundo adentro,
e ainda lançava um feitiço
e me transformava em um jumento.

OS JUMENTOS ZURRAM.

RAPUNZEFA: Minha mãe não é bruxa,
muito menos feiticeira,
é uma boa mulher,
só é um pouco **benzedeira**.

VAQUEIRO: Mas não é isso que dizem lá na cidade...
Falam até que ela transformou
um casal nesses jumentos,
sem nenhuma caridade.

OS JUMENTOS ZURRAM NOVAMENTE.

RAPUNZEFA: Seu moço, veja lá o que diz,
ou vou ficar magoada.
Ande logo e siga seu caminho,
sem demora pela estrada.

VAQUEIRO: Pois é isso mesmo que faço,
vou saindo ligeirinho,
e vamos lá, jumentos,
seguir nosso caminho.

OS JUMENTOS ZURRAM SEM PARAR E PARECEM EMPACADOS.

VAQUEIRO:	E não é que os bichos empacaram, por mais que eu insista, nenhum centímetro andaram. Será que a moça não pode me dar uma ajudinha? Se me arrumar uma cenoura, eles saem daqui depressinha.
RAPUNZEFA:	Cenoura não tenho para lhe arrumar, vai ter que fazer seus animais de outro jeito andar.
VAQUEIRO:	Será que não tem alguma poção da sua mãe feiticeira? Perdão, me confundi, quis falar benzedeira...
RAPUNZEFA:	Seu moço, está querendo me provocar? Pois não dou bola, vou ver o que posso arranjar. Minha mãe tem uma cesta onde guarda seus **unguentos**, vamos ver se tem algo que desempaque seus jumentos.

RAPUNZEFA PEGA UMA CESTA CHEIA DE PEQUENOS FRASCOS E COMEÇA A LER OS RÓTULOS.

RAPUNZEFA:	Pó de pirlimpimpim, em todos os seus inimigos ele vai dar fim. Casca de aranha grossa, deixa seus inimigos todos na maior **fossa**. Cera de ouvido de uma amiga, dá a maior dor de barriga. Casco de pata de dragão, transforma seu vizinho em um belo jumentão.

OS JUMENTOS ZURRAM NOVAMENTE.

VAQUEIRO:	Pois está vendo que ela não tem nada de benzedeira? Sua mãe não passa é de uma **baita** feiticeira.

RAPUNZEFA: Como é que por todos esses anos
pude ser tão inocente?
É por isso que nunca vi
sequer um parente.
Quero fugir daqui
e descobrir toda a verdade.
Por favor, seu moço,
me leve para a cidade.

VAQUEIRO: Mas como você vai descer dessa torre
que não tem porta nem batente?
Não dá nem para escalar,
já que não tenho corda nem corrente.

RAPUNZEFA: Mas isso eu resolvo
com todo jeitinho.
Corto meu cabelo
e por ele desço de mansinho.

RAPUNZEFA CORTA OS *DREADS* DO CABELO E FAZ UMA CORDA POR ONDE COMEÇA A DESCER. LEVA CONSIGO A CESTA DE POÇÕES DA FEITICEIRA E É SEGUIDA PELO CALANGO. AO DESCER, ELA MONTA NO SEGUNDO JUMENTO PUXADO PELO VAQUEIRO. OUVE-SE A GARGALHADA DA FEITICEIRA.

VAQUEIRO: Ouço a Feiticeira que está a voltar,
temos que nos esconder
ou vamos nos **estrepar**.

RAPUNZEFA E O VAQUEIRO SE ESCONDEM, E A FEITICEIRA ENTRA EM CENA. ELA SE APROXIMA DA TORRE E VÊ OS *DREADS* DE RAPUNZEFA JÁ JOGADOS.

FEITICEIRA: Rapunzefa, queridinha,
notou que a mamãe chegou
e já jogou a escadinha?

A FEITICEIRA SOBE A TORRE E, AO CHEGAR NO ALTO, NOTA QUE APENAS OS CABELOS DE RAPUNZEFA ESTÃO LÁ.

FEITICEIRA: Eu não acredito
que aquela menina **insolente**
resolveu fugir de mim,
assim, de repente.

VAQUEIRO: Agora, sim, nós vamos nos encrencar.
Estamos perdidos,
pois os jumentos não querem desempacar!

RAPUNZEFA: Dou um jeito nisso rapidinho.
Deve ter um feitiço que nos ajude
em algum vidrinho.

39

RAPUNZEFA OLHA OS RÓTULOS E JOGA FORA OS VIDROS QUE NÃO SERVEM. ENQUANTO ISSO, A FEITICEIRA DESCE SORRATEIRAMENTE DA TORRE, COMO SE TIVESSE OUVIDO A CONVERSA DOS DOIS. A MISTURA DAS POÇÕES EXPLODE, E OS DOIS JUMENTOS VOLTAM A SE TRANSFORMAR EM PESSOAS JUSTAMENTE QUANDO A FEITICEIRA SURGE. O VAQUEIRO, TREMENDO, SE ESCONDE ATRÁS DE RAPUNZEFA.

FEITICEIRA: Que bagunça é essa
que está acontecendo,
minha criança?
Você foi a responsável
por toda essa **lambança**?

CORONEL RAIMUNDO PUNÉRIO: Alto lá, sua feiticeira!
Não é a Rapunzefa aqui
que é a bagunceira.

CORONELA JOSEFA PUNÉRIO: Na verdade, ela salvou
dois jumentos **sem eira nem beira,**
e nem sabe que resgatou
sua família verdadeira.

RAPUNZEFA CORRE EM DIREÇÃO AOS PAIS E É SEGUIDA PELO VAQUEIRO, QUE TREME DE MEDO DA FEITICEIRA. A MENINA SE DIRIGE À SUA MÃE POSTIÇA.

RAPUNZEFA: Então realmente
procede essa barbaridade?
E, além de feiticeira,
a senhora não é minha mãe de verdade?

A FEITICEIRA DESABA EM PRANTOS.

FEITICEIRA: Nunca quis fazer
o mal para alguém,
mas sempre vivi sozinha
nessa terra de ninguém.
Eu queria uma família
para ter a quem amar,
mas agora sei que o que fiz foi errado
e mereço ver você me castigar.

RAPUNZEFA: De fato, sua conduta
não tem nenhum merecimento.
Transformar meus pais
em um casal de jumentos?
Mas apelar para castigos
não é de minha natureza.
Sobrou na cesta uma única poção,
que talvez acabe com sua tristeza.

FEITICEIRA: Não existe poção
que faça a solidão curar,
o único remédio para isso
é uma família a quem amar.

RAPUNZEFA: Pois então resolvo o seu problema
invertendo a mágica,
eu transformo bicho em gente
e melhoro sua vida trágica.

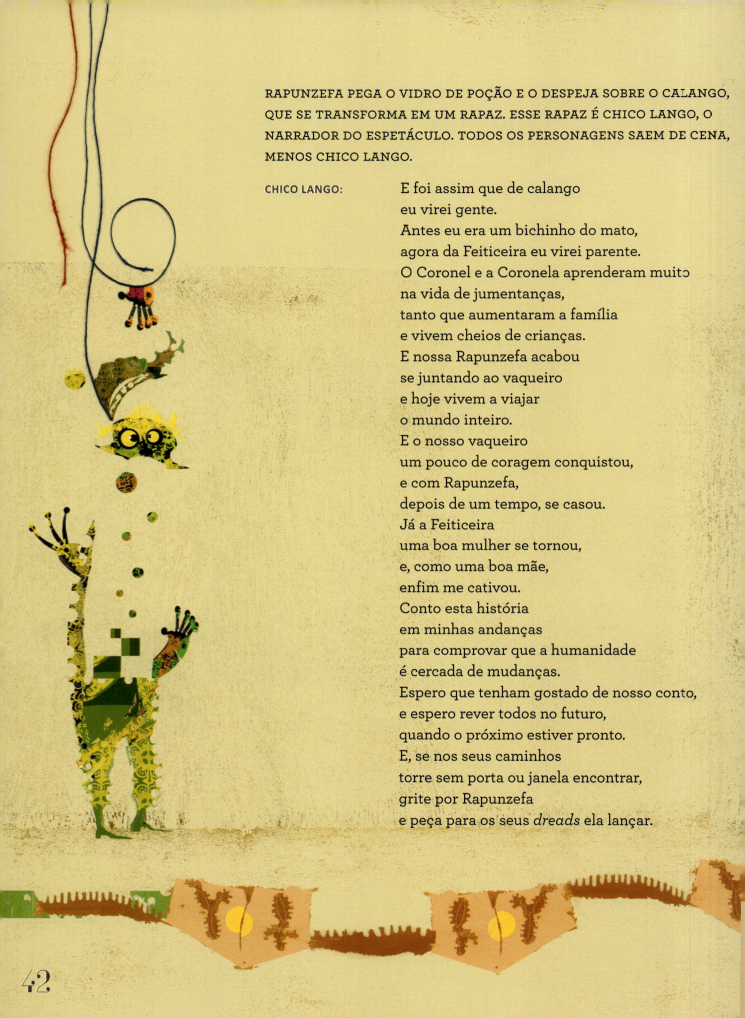

RAPUNZEFA PEGA O VIDRO DE POÇÃO E O DESPEJA SOBRE O CALANGO, QUE SE TRANSFORMA EM UM RAPAZ. ESSE RAPAZ É CHICO LANGO, O NARRADOR DO ESPETÁCULO. TODOS OS PERSONAGENS SAEM DE CENA, MENOS CHICO LANGO.

CHICO LANGO: E foi assim que de calango
eu virei gente.
Antes eu era um bichinho do mato,
agora da Feiticeira eu virei parente.
O Coronel e a Coronela aprenderam muito
na vida de jumentanças,
tanto que aumentaram a família
e vivem cheios de crianças.
E nossa Rapunzefa acabou
se juntando ao vaqueiro
e hoje vivem a viajar
o mundo inteiro.
E o nosso vaqueiro
um pouco de coragem conquistou,
e com Rapunzefa,
depois de um tempo, se casou.
Já a Feiticeira
uma boa mulher se tornou,
e, como uma boa mãe,
enfim me cativou.
Conto esta história
em minhas andanças
para comprovar que a humanidade
é cercada de mudanças.
Espero que tenham gostado de nosso conto,
e espero rever todos no futuro,
quando o próximo estiver pronto.
E, se nos seus caminhos
torre sem porta ou janela encontrar,
grite por Rapunzefa
e peça para os seus *dreads* ela lançar.

GLOSSÁRIO

Abestadinho: quer dizer bobo, tolo, sem noção das coisas.

Apoquento: vem do verbo apoquentar, que significa atormentar, irritar, perturbar.

Arapuca: armadilha para caçar pequenos pássaros. No sentido figurado, significa uma armação, ou cilada, para surpreender alguém.

Arretado: usamos essa palavra quando queremos elogiar muito alguém ou alguma coisa.

Arribado: que é muito bom, de boa sorte.

Baita: palavra usada para reforçar ou intensificar uma ideia.

Benzedeira: mulher que pretende curar doenças ao benzer, ou seja, ao invocar a graça divina sobre alguém.

Bolada: grande quantia (de dinheiro).

Calango: nome comum a vários lagartos pequenos que vivem no mato e costumam se esconder entre pedras, plantas e árvores. Na região Nordeste do Brasil, é usado como alimento durante os períodos de seca.

Chinfrim: de péssima qualidade; sem utilidade ou valor.

Donzela: moça virgem.

Embornal: nome que se dá a um saco, ou pequena bolsa, usado para transportar comida.

Escabrosa: difícil, horrível.

Estrepar: sair-se mal em (alguma coisa); não obter bom resultado.

Falatório: boato, fofoca.

Farnel: merenda, lanche, pequena refeição.

Fossa: estado de ânimo em que a pessoa se sente triste e sem disposição para nada.

Galhofa: zombaria, deboche.

Garboso: elegante; educado.

Insolente: malcriado, arrogante; que se comporta de modo desrespeitoso.

Jerico: o mesmo que jumento, jegue ou burro.

Jerimum: abóbora, fruto da aboboreira, ou jerimunzeiro, de polpa alaranjada, muito usado na cozinha para fazer doces e salgados.

Jururu: triste, sem energia.

Lambança: desordem, barulho, bagunça.

Macaxeira: o mesmo que mandioca ou aipim.

Mandacaru: tipo de cacto brasileiro comum em regiões secas.

Paga: pagamento, recompensa.

Povaréu: grande multidão.

Prenda: objeto que se dá a alguém como um presente; mimo.

Rincão: lugar afastado.

Sem eira nem beira: expressão usada quando alguém está em situação de extrema pobreza, sem ter para onde ir.

Singela: inocente, inexperiente.

Sururu: animal do grupo dos moluscos, parecido com um mexilhão, muito conhecido na costa dos estados do Nordeste brasileiro.

Unguento: tipo de remédio gorduroso que se usa na pele, como pomadas.

Zurrar: soltar zurro, o som típico produzido pelos jumentos.

ESCRITO POR LUCIANO DAMI

Luciano Dami estudou Comunicação Social com habilitação em Rádio e TV na Universidade Estadual Paulista (Unesp). É dramaturgo, ator, radialista, apresentador de programas de TV e diretor de cultura no município de Batatais, no interior de São Paulo. Sempre foi fascinado pela cultura brasileira e tem em Ariano Suassuna (1927-2014) uma de suas maiores inspirações. Vencedor do Expocom 2002 na categoria roteiro com "A incrível história de Benedicto Fausto e de seu irmão Persivaldo, o sonhador", um dia se deparou com a Rapunzefa, uma dessas personagens que vivem no reino do encantamento e ficam só esperando a gente encontrá-las.

Marcos Garuti cresceu numa família de artistas e, por isso, desde cedo teve acesso a muitos materiais diferentes, que explicam a riqueza e a originalidade de seu trabalho. Já ilustrou muitos periódicos, revistas e livros infantis e infantojuvenis.

Com madeira, jornal, colagens, carimbos, papel, papelão e outros recursos físicos e tecnológicos, Garuti cria obras que buscam surpreender o nosso imaginário. Ao conhecer Rapunzefa, não seria diferente. Com você, leitor, o resultado: uma mistura de cores e texturas que nos convida a viajar pelo reino do encantamento.

ILUSTRADO POR MARCOS GARUTI

Enquanto Chico Lango, Coronel Raimundo Punério, Coronela Josefa Punério, Rapunzefa, a Feiticeira e o Vaqueiro desfilavam pelo palco, a equipe da Carochinha produzia este livro nas coxias do teatro, em dezembro de 2018.